1 不可思「億」巧克力工廠

目 錄

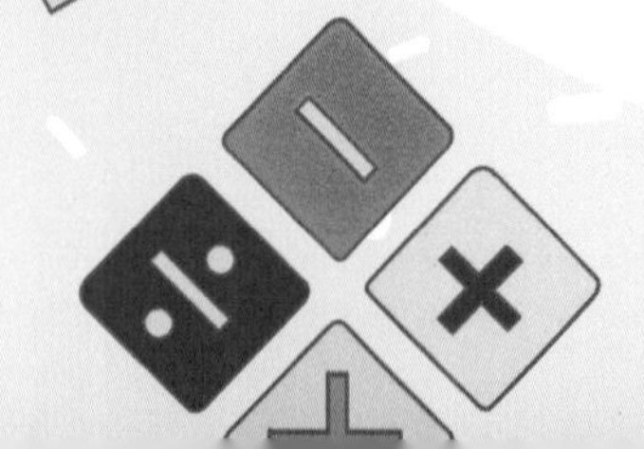

這本故事是在說……

閉上眼睛，想像你走進一間巧克力工廠，一陣濃郁的巧克力香味飄過來。白鬍子的巧克力老爺爺笑呵呵走過來，捻著鬍子問你：「你想吃幾顆巧克力呢？」

100 顆、1000 顆、還是 1 萬、1 億顆？聰明的你想到：「像天上的星星那樣多顆！像……全世界的沙子那麼多顆！」

可惜老爺爺在巧克力工廠待太久，他聽不懂這些，他只想知道一個明確的數字，像是 937554301。哇～你會念這個數字嗎？或是你知道它有多大嗎？然後趕快接著讀下去，知道什麼是超級大數字吧！

人物介紹

叮叮

丁小美的綽號，就讀春日小學三年級，常在媽媽開的「慢慢等」早餐店幫忙，算術好，行動力強。

紅髮大姐姐

她講一口怪裡怪氣的國語，出現在很奇妙的地方，出一堆讓人摸不著頭緒的問題。總之，她看起來，本身就是一道謎。

故事提要

暑假最後一天，叮叮家裡的早餐店還是好多人，小哲和白熊趕快來幫忙；忙到快昏頭，還來個講話怪裡怪氣的神祕大姐姐來點餐，說什麼都聽不懂！沒想到這位大姐姐竟然也偷偷跟著三人組到不可思議巧克力工廠，到底還會發生什麼不可思議的事情呢？快點看下去吧！

小 哲

蔡維哲的外號，從小跟著爸爸做訂製款的高級自行車，喜歡研究機械構造、組裝模型，更愛動手做。

白 熊

熊大為的身材像大熊，是溫暖的男孩，他蒐集了各式各樣的百科全書，立志將來也要寫一套自己的百科全書。

第一章

慢慢等早餐店

晴朗的早晨，慢慢等早餐店裡全是人。小哲和白熊停好腳踏車，小哲喊著：「叮叮，快一點！暑假最後一天，妳再慢，暑假就沒了。」

「你別急嘛，她們家裡客人多。」白熊笑咪咪的說。天氣那麼熱，白熊全身見不到一點熱氣，完全不急躁。

叮叮從店裡跑出來：「你們先幫我算客人的單子，算完就能出發了。」

「簡單，我來。」小哲興沖沖的接過單子：「請問各位尊敬的、尊貴的、隆重的客人要點些什麼呢？」

「小哲，你到底記好了沒有？」叮叮在一旁問。

「這……這樣怎麼記啦……」小哲無奈的把塗得亂七八糟的點菜單交給叮叮。

叮叮大喊：「天哪，你這樣寫，我哪看得懂？」

一旁的白熊不慌不忙的遞來另一張單子，上面全是一個正、一個正。

「他畫成這樣，你也看不懂啊」小哲沒好氣的說。

「不，我懂。」叮叮捶了白熊一拳：「你第一次來，怎麼就知道這個妙招？」

「他寫國字、我寫數字，他的方法哪裡會好？」小哲很不服氣。

叮叮拿著小哲的菜單說：「你這樣寫，如果有人臨時要追加、修改，就得塗掉數字重寫。這樣塗來改去很不方便、看起來也很亂。」

小哲嘟著嘴：「他畫幾個正字，就好數嗎？」

「當然好數呀，正字可以讓選好的人先畫。選比較慢的人，或是臨時要追加的人，只要再補上幾畫就好了。」叮叮邊說邊示範。

「真的耶！」小哲大叫：「1個正字有五畫，如果畫了 3 個正字，就表示有 15 個人點奶茶。要是正字沒寫滿，只要算算筆畫，立刻就知道。」

「你總算懂了。」叮叮哼了一聲：「明明就是簡單到爆啊。」

白熊幫忙補充：「正字這樣一畫一畫的算，跟羅馬數字很像。羅馬數字的 I、II、III，分別是 1、2、3。每一個 I 就是 1；記到 5 時，立刻就換個符號變成 V。VI 是 6，意思是 5+1。」

「咦！我好像在哪裡看過這種符號？」小哲搔著頭努力的想。白熊笑嘻嘻的看著他。

「我在……」小哲看著白熊，白熊雙手突然比了個勇者無雙的手勢，他大叫：「啊！是聖劍勇者無雙第四代，它的盒子上有。」

「我家早餐店的時鐘也有喔！」叮叮指著店裡牆上的大時鐘，時鐘上果然有一圈羅馬數字，從1點標示到12點。

小哲想到一個疑問：「羅馬數字的4為什麼要長成 **IV**？」

白熊用剛才的點菜單解釋：「因為 **V** 是5，把 **I** 寫在 **V** 的前面，代表5-1=4，4就是這麼記的。」

小哲說：「有點麻煩。」

「所以窩們後來不這樣記。」一個紅髮的外國大姐姐笑著拿過紙，她的外國口音很有趣。

「窩們計數是由上往下畫，1條直線、2條直線、3條直線、4條直線。到5的時候，改畫1條穿過4條直線的斜線，這是5。窩要點7杯紅茶，你們會用窩的方法記嗎？」

叮叮二話不說，立刻在單子上寫下：「卌 ||」

「謝謝，窩的紅茶冰怪愈都愈好。」紅髮大姐姐朝他們揮揮手，走到收銀臺邊等紅茶。

「你們店裡也有外國遊客啊？」白熊問。

「從沒見過的人。」叮叮搖搖頭。

小哲還在研究那張紙，他興奮的說：「外國的計數方法，看起來也很像我們的正字記號嘛。」

白熊問他：「那如果有 25 個人點呢？」

小哲想也沒想：「就畫 5 個正字記號。只是還是很麻煩，要一邊數、一邊畫正字記號。」

叮叮白他一眼：「它就是 5 的倍數，有什麼好麻煩的？」

小哲不服氣問：「那有 3125 個人點紅茶，妳要畫多少個正字？」

叮叮腦筋超快：「3125 個人就是 625 個正字。可惜，我家早餐店沒那麼多客人。」

「真的有那麼多人點飲料……」叮叮的媽媽站在後面：「你們就別出去玩，留下來幫我裝飲料。」

數感百科

數字哪裡來？

「來，數一數有幾個？」這或許是你第一次接觸數學時，爸媽或老師問的問題。數字是數學世界的基礎，數字符號還沒出現之前，古人大概只能分辨1個、2個，3個以上就只能叫做「很多」。

在現在常用的阿拉伯數字出現之前，世界各地的古代文明紛紛發明了自己的數字符號。從它們的符號裡，你可以感受到很強烈**「數數」**的味道。1個、2個、3個……一直數到有點多了，就發明另一個新符號。像是在西元前3400年，埃及人也有自己的數字符號，很有神祕的風格。

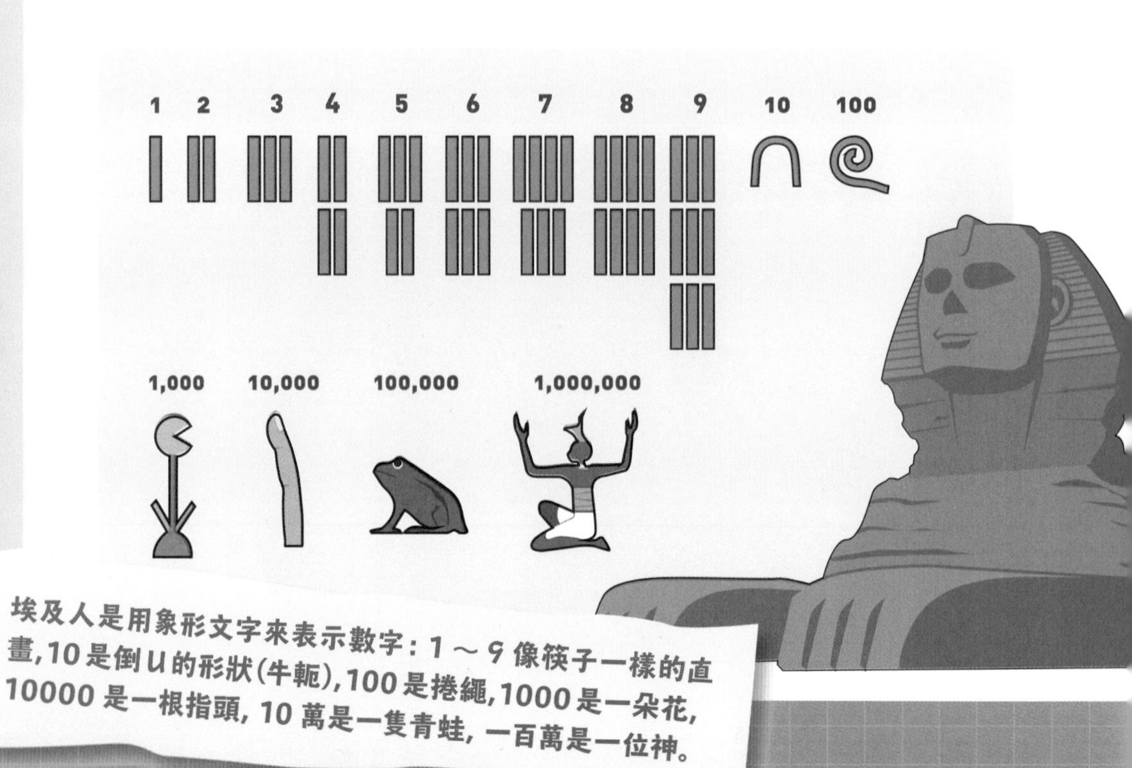

埃及人是用象形文字來表示數字：1～9像筷子一樣的直畫，10是倒U的形狀（牛軛），100是捲繩，1000是一朵花，10000是一根指頭，10萬是一隻青蛙，一百萬是一位神。

你有沒有發現埃及數字的規則是：**「每增加 10 倍，就有一個新符號」**。1 條直線畫了 9 次，到第 10 條就變成 1 個倒 U，所以跟我們習慣一樣是 10 個一數。然而這也和羅馬數字一樣出現類似的問題，這樣的表示方式對於大數字來說，可是一點都不方便計算，還好印度人發明現在所使用的數字解決這些問題！

這是埃及卡奈克神廟石塊上的埃及數字符號，你能解出這些符號代表的數字是多少嗎？

這是 4

這是 128

看起來超酷又神奇的羅馬數字

羅馬數字的 I ～ III 還看得懂，但是到了 IV、V 和 X 就怪怪的。據說 V 表示一隻手張開拇指和食指，所以是 5；X 則是表示雙手交叉，就是 10。雖然變好懂了，但是數字一大，可就複雜了。X 之後，用 L 表示 50、C 表示 100、D 表示 500、M 表示 1000。這讓簡單的數字像「2018」變成「MMXVIII」，更不用說計算了。

七個主要的羅馬數字符號						
I=1	V=5	X=10	L=50	C=100	D=500	M=1000

不過有趣的是，你有沒有發現羅馬數字竟然沒有「0」？而且他們習慣 5 個一數和 10 個一數，是不是跟我們常用數字相差很多呢？0 是後來印度人所發明，而印度人發明出的數字系統，也就是現在阿拉伯數字的祖先，可是大大改變了數學的發展，讓我們的生活變得超級便利—— 至少讓你的數學題目變得好懂一些！

第二章

不可思「億」個巧克力

今天的目的地是不可思議巧克力工廠。小哲、白熊和叮叮騎著腳踏車。叮叮是淑女車；小哲騎得是自己組裝的小摺，車子輕、速度快；白熊的腳踏車看起來很笨重，騎起來果然慢。

小哲一邊放慢速度、慢慢等大家跟上，一邊興高采烈的跟大家介紹：「那間不可思議的巧克力工廠，專門生產各種不可思議的好吃巧克力。光想，就讓我覺得今天真是不可思議的美好。」

「是不可思議的流口水吧！」白熊擦擦汗：「一提起吃，你就特別有精神。」

「當然啊，人生以吃為目的嘛。」小哲說得理所當然。

叮叮看看他，嘆了口氣：「明明是你暑假作業沒寫完，我們這是陪蔡維哲公子寫作業，哪有什麼好玩的？」

「誰叫二年級老師特別加碼，說好的暑假作業，她偏偏要多加一篇參觀日記。否則，我早就寫完了。」小哲說到這兒，不可思議的巧克力工廠也到了。

他停好小摺、鎖好車，做了個請的手勢：「既來之則吃之嘛。如果不是我剛剛好沒寫參觀日記，你們兩個，現在一個在賣早餐、一個在研究什麼丙骨文。」

白熊急忙糾正「是甲骨文。」

「好，是甲骨文～走啦，進來吃巧克力囉。」

「是參觀巧克力工廠。」白熊還是忍不住要糾正他：「你是來寫作業的。」

「更是來吃巧克力的。」小哲笑嘻嘻的把背包一甩，第一個往裡頭衝。

白熊沒走那麼快，他抬頭仔細看看這家工廠：高高城堡像巧克力噴泉，外表巧克力色，一行奶油白的浮雕字體**「不可思億個巧克力」**。

「有錯字，應該是『不可思**議**個巧克力』！」白熊對文字也有著不可思議的迷戀與執著，只要有錯字，他一定能發現。

「那倒不一定。」戴著頭巾的姐姐是接待員，她說：「我們的巧克力除了不可思議的好吃，每天生產的巧克力也有上億個之多，所以能用不可思『億』來形容。小朋友，你們的參觀券呢？」

「我有。」小哲手裡有張報紙送的免費參觀券，紙質像金屬，金光閃閃，上頭有顆黃金星星。

「天哪，是黃金參觀券！」頭巾姐姐喊完，四周的服務人員都跑來了，還有人忙著用對講機跟廠裡聯絡。

然後，他們就看到工廠的大門緩緩打開，一頭白髮的巧克力爺爺笑呵呵的出現在他們面前。

「小朋友，你們竟然拿到了不可思億個巧克力工廠的黃金參觀券？」

「就……就是報紙送的啊。」小哲真擔心自己做錯什麼事。

巧克力爺爺拍拍他的肩膀：「恭喜你們是今天本工廠最隆重的貴賓，只要有了這張黃金參觀券，想吃什麼、想看什麼，通通都免費。」

「真的嗎？」小哲的嘴巴變成一個大大的O型。叮叮和白熊也很訝異，不過就是一張夾報的參觀券。

一下子服務人員已經站成兩排，端著各種好吃的巧克力，要不是叮叮緊拉著小哲，否則他什麼都想試。

進了巧克力工廠，巧克力爺爺負責解說，讓他們任意參觀。整個生產線就像一道神奇的魔法：數不盡的可可豆在生產線上滾動，奮不顧身跳進一個圓形的爐子裡；從另一邊出來時，已經變成了香噴噴的可可河。

這條河彎彎曲曲的流經各個工作坊，有的滾上白色巧克力外衣、有的填進各種的糖心、還有的壓製成超薄巧克力片。然而最多的，還是一顆顆的金色巧克力磚。

機械手臂抓起一顆顆巧克力磚，10顆放進1個小包包，10個小包包裝成1盒，10盒被1個大袋子包進去。機械手臂的動作繁複卻流暢輕快，讓小哲這個機械控看得著迷。

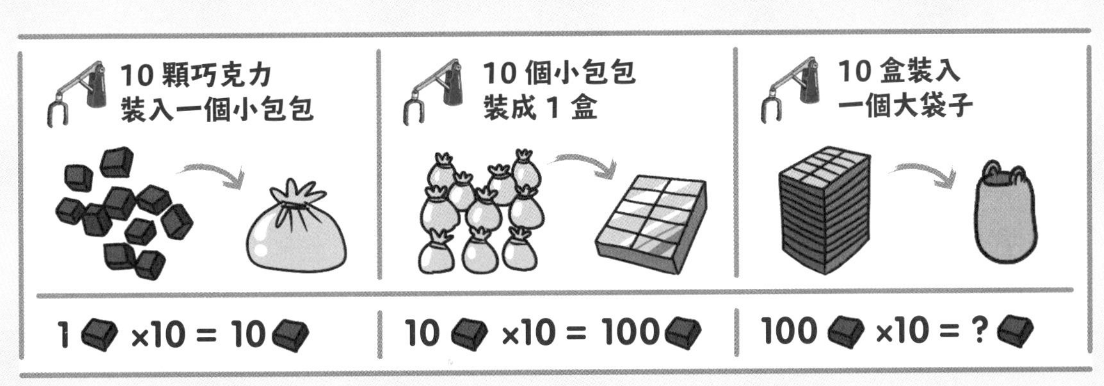

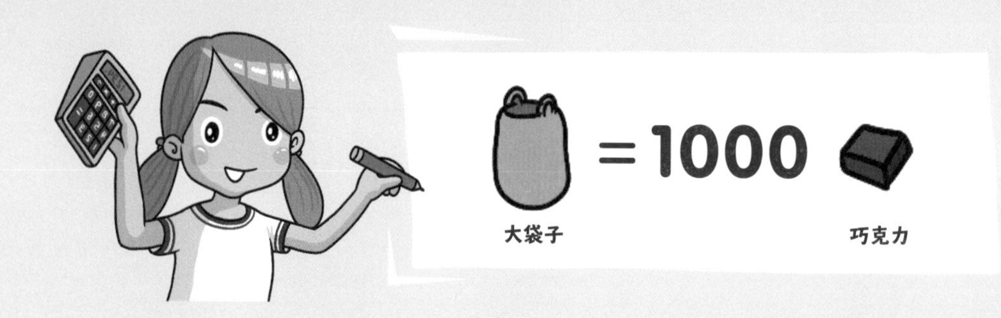

叮叮忙著數：「這樣一大袋裡頭有 1000 顆巧克力磚？」

「哈，泥答對了。」一個怪裡怪氣的聲音響在她們身邊，叮叮抬頭一看，竟然是早餐店遇到的紅髮大姐姐，她還問巧克力爺爺：「泥們一天生產 1 億顆？」

「是啊。」巧克力爺爺笑著，毫不在意她怎麼會在這尊貴的參觀行列裡。

小哲忍不住嘖了一聲：「1 億，怎麼數呀？」

「數不來，就想辦法數。」紅髮大姐姐說。小哲這才仔細看著她，她除了滿頭紅髮外，眼珠竟然是藍色的。

「泥們想一想，如果泥們是這間工廠的老闆，做那麼多巧克力，卻不會數，那怎麼賺得到錢呢？」

「那是要一顆一顆數嗎？」小哲問。

「一定有更簡單的方法。」白熊看得很仔細：「機械手臂把 10 袋捆成 1 捆，10 捆裝 1 箱，10 箱又裝入 1 個籃子，10 籃裝在大櫃子裡，10 櫃剛好裝進 1 部大卡車。哇！那 1 部大卡車如果都裝滿了，就是 1 億顆。」

1億顆怎麼數？

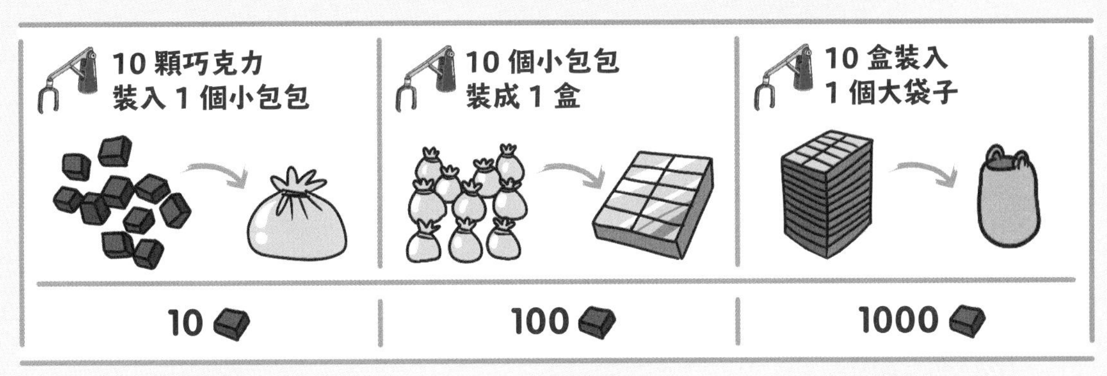

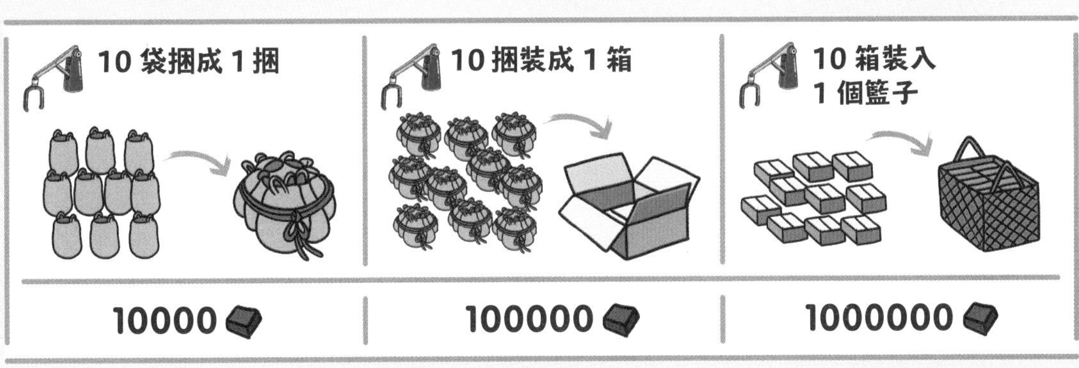

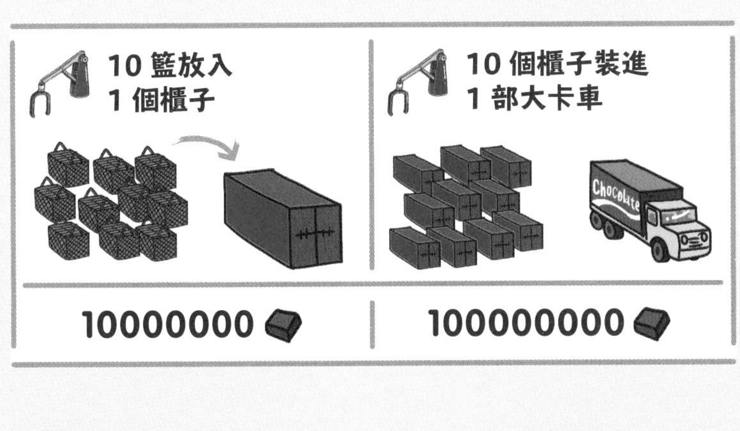

= 100000000

總共是 1 億顆巧克力，你會數了嗎？

「1部卡車裡有1億顆巧克力？」小哲拍拍額頭：「我的老天呀，1億顆巧克力，太不可思議，要吃多久才吃得完呀。」

紅髮大姐姐拍拍手：「先別管吃多久，想一想，如果巧克力工廠接到訂單要生產9箱7捆5袋3盒1包0顆巧克力。誰能告訴窩 ，一共是多少顆呢？」

訂單來了~

9	7	5	3	1	0

= 9×100000+7×10000+5×1000+3×100+1×10+0×1

= 975310

= 九十七萬五千三百一十顆巧克力

「有獎品嗎？」小哲問，他喜歡巧克力。

紅髮大姐姐還沒回答，叮叮已經知道答案了：「不難，答案是九十七萬五千三百一十顆，阿拉伯數字的寫法是975310。」

「雖然數字看起來很長、不好唸，但是用底線把數字分開，寫作**97<u>5310</u>**。這樣就變得超級好唸的！」

975310 → 97<u>5310</u> → 九十七萬<u>五千三百一十</u>

可以每4個位數，畫底線分開。

「妳怎麼算得那麼快？」小哲很好奇。

「就是 10 個一數啊，每逢 10 就往左邊的數字加 1，我答對了嗎？」叮叮前一句對小哲解釋，後一句看著紅髮大姐姐。

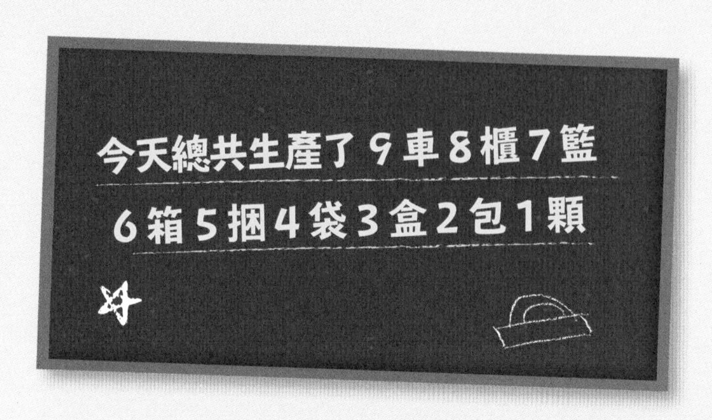

「泥的年紀雖小，算數卻挺靈光的。」紅髮大姐姐恰好看見工廠裡頭有塊小黑板，上頭有行字：**今天總共生產了 9 車 8 櫃 7 籃 6 箱 5 捆 4 袋 3 盒 2 包 1 顆**。「這是幾顆巧克力？」

這回小哲算得可快了，他拿起粉筆，在那行字下寫著 987654321：「九億八千七百六十五萬四千三百二十一顆。」

$= 9\times100000000+8\times10000000+7\times1000000+6\times100000+5\times10000+4\times1000+3\times100+2\times10+1\times1$

$= 987654321$

987654321 → 98765 4321 →

九億 八千七百六十五萬 四千三百二十一

「太棒了。」紅髮大姐姐把嘴巴湊過來：「嗯～香一個，獎勵一下。」

看到她那張血盆大口，小哲嚇得直往白熊身後躲。他們說話時，有人送了幾張單子給巧克力爺爺，他看著單子，忍不住皺著眉頭。

「泥怎麼變成苦瓜的臉啦？」紅髮大姐姐拍拍他的肩問。

「有人下了幾張訂單給我。唉～妳看看，這種訂單不是擺明給我們出難題嗎？」

他們幾個連忙湊過頭去看，單子上寫著：「3盒1包2顆。」

「312 顆，不難。」小哲搶著唸出答案。

巧克力爺爺搖搖頭：「不，他要求把**5 顆巧克力裝成 1 包，5 包裝成 1 盒，5 盒裝成 1 袋**。」

「這也不難。」叮叮在旁邊說：「跟用正字來計數是一樣的嘛，1 包又 2 顆就是 1 個正再加 2 畫，所以是 5+2=7。用這個想法來看，3 盒就是 5×3=15 包；1 包是 5 顆，15 包就是 15×5=75 顆，最後總共就是 75+7=82 顆。」

她抬起頭，恰好看見紅髮大姐姐給她比個大姆指。

嚇死巧克力爺爺的5個一數

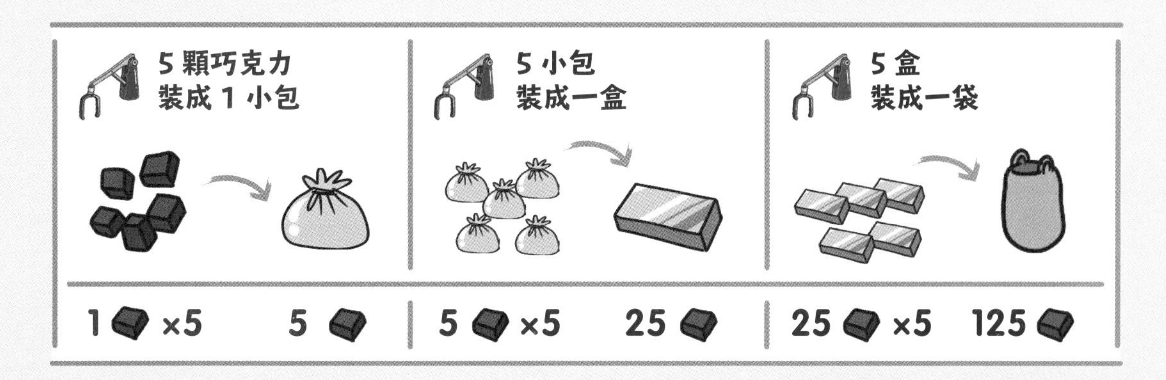

$= 3\times25+1\times5+2\times1$

$= \mathbf{82}$

「難的是這張。」巧克力爺爺拿出另一張訂單，出現和之前一模一樣的 9 箱 7 捆 5 袋 3 盒 1 包 0 顆。

小哲看看黑板，又看看他那張紙：「一模一樣啊，都是 975310 顆。」

廠長苦笑著：「不，這張訂單是歐洲來的，他們要 12 顆包成 1 包，也就是本來的 10 顆 1 包改成**12 顆 1 包、12 包 1 盒、12 盒 1 袋、12 袋 1 捆**。」

「這不是在整人嗎？」小哲很生氣：「難怪你算不出來。」

「那倒不一定，只是不同包裝。」白熊安撫他。

「很簡單啊。」叮叮拿起粉筆，順手就在黑板上寫下：「2393724」。

白熊點點頭：「哈，兩百三十九萬三千七百二十四。是 12 個一數。」

「太棒了，泥也來香一個。」紅髮大姐姐這麼一說，白熊也躲到了叮叮後頭。

大家都笑了，只有小哲搔著頭問：「12 個一數？天哪，只是裝個巧克力，為什麼要這麼複雜啊？」

叮叮沒理他，直催著大家往前走，她還想多看看巧克力工廠呢。

親愛的巧克力爺爺：

窩們要訂 9 箱 7 捆 5 袋 3 盒 1 包 0 顆巧克力。
包裝方式照之前說的，
總共是兩百三十九萬三千七百二十四顆。

千萬不要搞錯，不然窩們會退貨。
歐麗麗百貨公司

歐洲來的整人訂單？

巧克力爺爺接到這張歐洲訂單，好頭痛啊！

想請你幫幫忙，在這筆訂單中的白色框框中，填入正確的數字。

歐麗麗百貨公司訂單明細

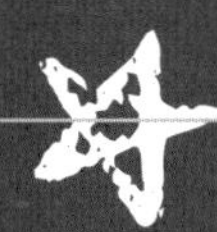

9 箱 7 捆 5 袋 3 盒 1 包 0 顆

= 9×▢ +7×▢ +5×▢ +3×▢ +1×▢ +0×▢

= 2393724

= 兩百三十九萬三千七百二十四顆巧克力

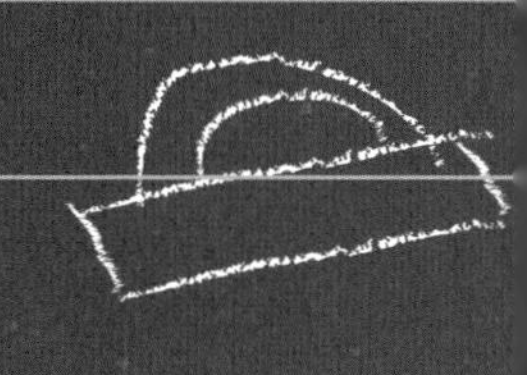

Q 你完成了嗎？ 如果又來張 9 箱 7 捆 5 袋 3 盒 1 包 0 顆的訂單，但是換成 5 個一數，你知道這張訂單總共需要多少顆巧克力嗎？依照前面的方法，試試看！

突然，一陣香味讓小哲把12個一數給忘了。

「是很香很香的奶油，外加很濃很濃的巧克力。」小哲喊著。

「那不就是白巧克力。」白熊笑了起來。

「所以這裡……」叮叮搶先一步，走進一間用巧克力薄片搭起來的小房間：「天哪，怎麼這麼亂？」

沒錯，房間裡好多人在包裝白巧克力。包好的，分成兩邊；沒包好的，像座小山在桌上。

紅髮大姐姐笑嘻嘻的問他們：「**右邊有1箱2捆3袋4盒5包6顆，左邊有9捆9袋9盒0包9顆。**誰知道哪邊比較多？」

「當然是左邊，他有9捆耶。」小哲說完，卻看見白熊和叮叮同時搖了搖頭。

紅髮大姐姐問白熊：「這個小男孩說錯了嗎？」

「右邊的1箱就有10捆了，左邊看起來好像很多，其實只要比那1箱，右邊就比左邊多。」

叮叮把一個紙箱拿過來、翻個面，快速寫上：右邊123456，左邊99909。寫完放下筆，氣定神閒的看看小哲：「簡單到爆。」

小哲搔著頭：「明明看起來……」

白熊拍拍他的肩膀：「雖然看起來好像很多，但多了那一箱，就多了 10 捆。」

「所以，像牆上那張訂單，它雖然只訂 2 箱，數量就比這些什麼幾捆幾盒幾包的還要多很多。」小哲笑著說。

叮叮點點頭：「小哲，你真的不一樣了耶。」

「哪裡不一樣了？」

「本來數學弱到爆，現在數學……」

「變強了？」叮叮白了他一眼：「數學弱到差點爆。」

數感百科

無所不在的大數字

想一想，你看過或唸過的數字，最大的有多大呢？除了考試得到100分，爸媽手上的千元鈔票，你還看過比1千或1萬更大的數字嗎？是不是有些物品裡面藏著超級大的數字，只是你沒有想到呢？

手機的相機鏡頭有「幾百萬」、甚至超過「一千萬」畫素。玩電玩遊戲的累積分數、最後大魔王的滿滿血量、以及發出大絕招的強力傷害，這些數字是不是都大到無法一下子就唸出來？

鏡頭有超高的畫素。

就連冰箱裡的一罐養樂多，都有一億個益生菌。你搔搔頭思考，哎～又發現自己的頭髮好像也很多、很多。

39200000000000
細胞

科學家估計人體細胞總共約有39.2兆個，我們的頭髮平均也「才」10萬根。

現在你發現，大數字不是不常見，只是在跟你玩捉迷藏，藏在生活周遭。有時候是我們自己把它們藏起來，好比說電腦裡面，就藏了很多、很多大數字。

電腦的硬碟上常見到 500 GB 或 1 TB 的標示。1 TB 約是 1000 GB，1 GB 是 1000 MB，1 MB 是 1000 KB，1 KB 則是 1000 bytes（位元組）。1 個 byte 可以儲存 1 個英文字母；1 個中文字則需要 2 個 bytes。算一算後發現 1 TB 就有 1 兆個 bytes，可以儲存 5000 億個中文字。你會以為 500 GB 或 1 TB 好像沒什麼，其實只是很多、很多的 0 被藏在英文字母 K、M、G、T 的背後。

1 篇課文大約才 400 字，你有想過 1TB 的硬碟可以儲存幾篇課文呢？

答案 12.5 億篇

中文怎麼寫大數字？

既然英文能用來藏0，中文一定也可以。畢竟用阿拉伯數字表示1個大數字需要寫很多0，千萬不能多或少一個0。每次讀也都需要數一數到底有幾個0，好麻煩。古書或佛經裡記載著許多有趣的大數字標示，像有個大數字叫做**「恆河沙」**，表示這個數字跟恆河中的沙子一樣多。

白熊看到巧克力工廠招牌時說：「應該是不可思『議』，而不是不可思『億』」。其實不可思議、恆河沙都跟一、十、百、千、萬一樣，是用來表達數字的詞，稱為**「數詞」**。

清朝數學書《御製數理精蘊》記載很多當時使用的數詞：一、十、百、千、萬、億、兆、京、垓、秭、穰、溝、澗、正、載、極、恆河沙、阿僧祇、那由他、不可思議、無量大數。

欽定四庫全書
御製數理精蘊總目
上編五卷
下編四十卷
表八卷

《數理精蘊》是一本文言文數學百科全書。

其實數詞的規則和故事裡巧克力10顆裝成1包，每10包裝成1盒的包裝方法是相同的。

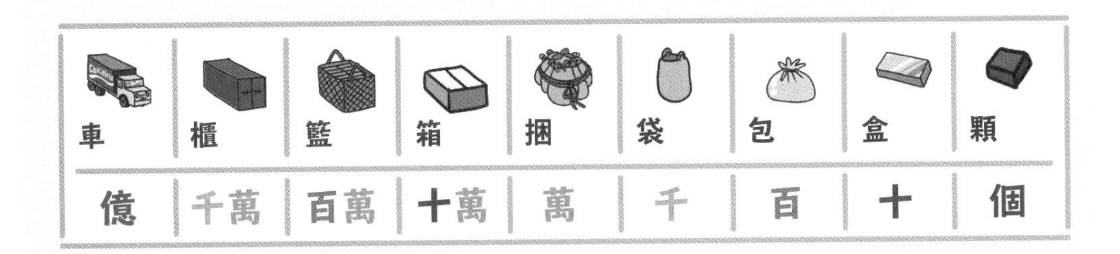

「袋、盒、包、顆」就是數詞的**「千、百、十、個」**。如果每10倍就多1個數詞，光背這些名詞，搞清楚誰是誰的幾倍就讓人頭昏腦脹。還好數學家非常體貼，到萬以上，就不再是每10倍多1個新數詞，而是每10000倍才有1個新數詞，也就是億。

「萬、億、兆」等搭配3個分別代表10倍、100倍、1000倍的**「十、百、千」**，就能清楚說出任何一個數字。例如：354521就是三十五萬四千五百二十一。

比起故事中用了箱、籃、櫃來分別表示十萬、百萬、千萬，這樣就少記很多數詞了。

接著我們來算算看恆河沙跟不可思議到底有多大。1萬是10000，1後面有4個0；1億是1萬的10000倍，變成了1後面有8個0。如果是1兆，又是1億的10000倍，變成了1後面有12個0。

數學不是只會加減乘除就好，更重要的是發掘「規則」。你發現從萬開始，每個數詞之間的規則了嗎？答案是從萬開始，下一個更大的數詞，都讓1後面多加4個0。

1萬 ＝ 10000（1 2 3 4）

1億 ＝ 100000000（1 2 3 4 5 6 7 8）

1兆 ＝ 1000000000000（1 2 3 4 5 6 7 8 9 10 11 12）

那如果是比萬更小的一、十、百、千等數詞，會讓 1 後面多幾個 0 呢？

一 ＝ 1 ______　　**百 ＝ 1** ______

十 ＝ 1 ______　　**千 ＝ 1** ______

根據這個規則，我們再往下看，兆後面是京，1後面有16個0；再來是垓，1後面有20個0。我們用國字（1後面有幾個0）來表示，依序是秭（24）、穰（28）、溝（32）、澗（36）、正（40）、載（44）、極（48）、恆河沙（52）、阿僧祇（56）、那由他（60）、不可思議（64）、無量大數（68）。

你看到了嗎？恆河沙是1後面有多達52個0，不可思議是1後面有64個0。如果是不可思議個巧克力，意思是1後面有64個0這麼多的巧克力。不過比起這個，有人可以一次吃這麼多巧克力，才真是讓人覺得太不可思議！

googol ≠ Google

國外的大數字標示也很驚人，你有聽過 googol 嗎？可不是 Google 喔。googol 是由美國數學家愛德華·卡斯納（Edward Kasner）和他的侄子一起發明的。googol 是1後面有100個0，就連我們中文的無量大數也遠遠不及。據說 Google 的取名靈感來自於 googol，象徵網路上的資訊多得讓人數不清。

這些數字怎麼唸？

學會各種數詞後，來看看要怎麼唸。叮叮說先從數字最右邊開始往左數，每4個位數畫一條底線，正是因為4個位數剛好代表千位數。只要先弄清楚是落在「萬以下」、「萬到億之間」、或「億以上」的哪一個範圍，每個範圍都看做是1個千位數，就能清楚唸出數字。

987654321 → 987654321

億　萬　萬以下

★唸法就是從數字最左邊開始由大唸到小：

9 8 7 6 5 4 3 2 1

九億　八千七百六十五萬　四千三百二十一

說0的小規則：如果數字中間有0要唸出來，0落在最後面就不用。

98650 → 九萬八千六百五十

不用多唸成五十零

98065 → 九萬八千零六十五

雖然唸九萬八千六十五也可以懂，
但是比較嚴謹的做法還是會唸出零。

換你發揮看看。

90865 → 怎麼唸？

剛剛是中文的唸法，英文就不一樣了。中文在萬以上是每4位數會多1個數詞；英文則是從千開始，每3位數多1個數詞：**百萬（million）、十億（billion）、兆（trillion）**等。所以在很多英文文件中，大數字是每3位數出現1個小逗點。

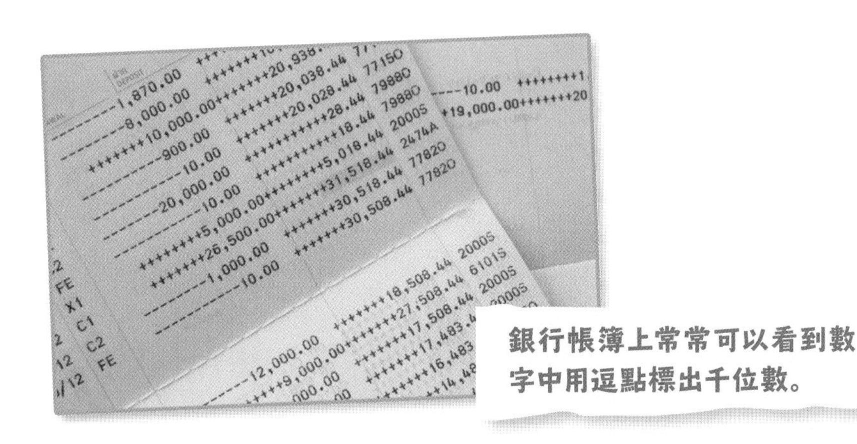

銀行帳簿上常常可以看到數字中用逗點標出千位數。

這是中西方對數字的唸法不同，反應出來的表示法。舉例來說1345公尺，中文直接唸作一千三百四十五公尺，但熟悉西方公制單位的我們，會直接換算成1公里345公尺，這時每隔3位的逗點，寫作**1,345**公尺就很方便了。

你看到了嗎，不同文化對於1000倍，還是10000倍發明1個新數詞有不同的看法，這表示數學一點都不會硬梆梆，而是很靈活，能針對不同的情境作調整。

這兩個數字哪個大？

123456 vs. 99909

還記得小哲在白巧克力小屋遇到數字比大小的問題吧，其實比大小很簡單，跟著以下規則就能輕鬆解答：

① **先比位數，位數多的比較大。**

123456 是 6 位數，99909 是 5 位數

1 2 3 4 5 6　　　　1 2 3 4 5

② **位數一樣，從最左邊的數字開始比。**

9111111 和 8999999 → 9 > 8

↑　　　　↑

③ **兩組數字位數和最左邊的數字都一樣，就往右移 1 位再比較。**

7355554 和 7199999 → 3 > 1

↑　　　　↑

從規則中，你會發現要看 1 組數字的大小，先數一數幾位數很重要。不過這樣好麻煩，每次看到數字，都需要數數看，1000000 跟 100000 長得那麼像，一不小心就數錯。

「幾位數」能幫助我們很快比較數字大小，特別是兩個大數字。但一般的數字表示法（像是 1000000 跟 100000）無法一眼看出來有幾位數。還好，數學家有個超棒的方法，像 100 是 1 後面有 2 個 0，就把 2 寫得小小的，放到 0 的右上角，寫作 10^2。1000 是 1 後面有 3 個 0，就寫成 10^3。

這樣一來，就算是恆河沙或不可思議這種超級大的數字，也不會寫錯了。恆河沙寫成 10^{52}，不可思議是 1 後面有 64 個 0，換你來寫寫看！

你知道這個數字是多少嗎？

1000000000000000000000000000000000000000000000000000000000000000000000000000000000000000000000000000000

＝ 1 後面有 100 個 0 ＝ 10^{100} ＝ googol

這樣標示是不是比一大堆的 0 還簡單多了

第三章

巧克力火鍋咕嚕咕嚕響

小哲抹去嘴角的巧克力：「雖然吃了不少巧克力。不過，我的肚子告訴我，該吃午餐了。」

「孩子們，別急著走。」紅髮大姐姐也出來了：「巧克力爺爺請吃飯。」旁邊的巧克力爺爺笑呵呵的點頭。

一聽到有人請客，小哲的眼睛都亮了。走進餐廳裡，有張大圓桌，桌上擺了三個香噴噴的巧克力火鍋，四周放了草莓、香蕉、梨子，也有不少餅乾和蛋糕。

牆上的咕咕鐘恰好來到12點，一隻小貓頭鷹從洞裡鑽出來，咕咕咕的叫了幾聲，又鑽了回去，幾位服務員同時把火鍋點了火。另一面牆上有個螢幕，顯示**「2130」**這個數字。

「這是什麼？」小哲問。

「餐廳裡有道謎題，泥們只要答對了，巧克力爺爺請客。」

白熊比較謹慎：「要是答不出來呢？」

紅髮大姐姐眼珠子轉了轉：「泥們算不出來，窩剛才買太多東西了，泥們要幫窩提到車上去。」

聽起來不難，小哲躍躍欲試的問：「抬東西我最厲害了，白熊的力氣也很大。沒問題，妳的問題是什麼？」

紅髮大姐姐笑一笑：「題目就在牆上，你們必須在對的時間，掀開火鍋，那時的巧克力火鍋最好吃。如果掀錯時間，那就要幫窩抬東西。」

「對的時間？」小哲扯著頭髮，他實在看不出來這餐廳有什麼題目。

「想不出來，窩和巧克力爺爺替你們吃火鍋。」她說完，挽著巧克力爺爺，踩著20公分的高跟鞋，叩叩叩的走出餐廳，留下他們三個大眼瞪小眼。

快點～
快點～
數數看
飲料...

2130
點菜單都是
正字記號…
MENU

「題目該不會是藏在巧克力火鍋裡吧？」小哲把四周細細看一遍：「只有那個 2130 最奇怪。」

「我們進來時是 12 點，服務員也同時點火，是不是加上 2130……」叮叮看看白熊，白熊還沒說話，小哲已經算好了：「12 點加上 21 點 30 分，那就是 33 點 30 分。33 點 30 分，不就是要煮到明天才能吃。」

「你動動腦吧，一個火鍋煮 20 個小時還能吃嗎？」叮叮說。

白熊盯著螢幕看了一會兒：「我知道了，時間還沒到。」

叮叮也笑了：「我也知道，還要再等一下。」

「你們到底知道什麼了呀？」小哲幾乎要絕望了。

桌上的巧克力是 10 顆裝 1 包，所以是 10 個一數。」叮叮笑：「而點菜單上，是 1 個正字畫，是 5 個一數。」

白熊拿起 1 打果汁：「這些果汁 12 罐 1 打，所以是 12 個一數。」

「然後，跟這牆上的時鐘有什麼關係，跟這數字……」小哲突然睜大眼睛。

「時鐘和數字有關係，因為秒針走一圈是 60 秒，而分針走一圈是 60 分。天哪，我知道了，它們是 60 個一數。」

既然知道 60 個一數是個關鍵，小哲很快就算出來：「2130 除以 60 就是 35 分 30 秒，對不對？」

叮叮和白熊笑嘻嘻。

「12 點加上 35 分 30 秒。」小哲急忙拉開椅子，喊著：「12 點 35 分 30 秒。對了吧？」

三個火鍋同時冒出白煙，濃郁的香氣瀰漫在室內，紅髮大姐姐推開門，笑著給他們拍拍手：「開動了，恭喜泥們答對了。」

開動 開動
天下果然沒有白吃的巧克力火鍋，還好解決了紅髮大姐姐的大難題，不過大數字到底還有什麼神奇地方？幾個一數又是什麼？趕緊看看數感百科吧！

好香啊！
不知道有沒有我的份？

數感百科

10 個一數，60 個一數

巧克力火鍋謎團有個關鍵數字 2130，一開始小哲還以為它是 21 小時 30 分。其實 2130 是 1 個數字，沒辦法分成前半段是小時、後半段是分鐘。不然也可以是 213 小時 0 分鐘，或是 2 小時 130 分鐘，所以比較合理的答案是 2130 秒。1 分鐘有 60 秒，2130 是 35×60+30，也就是 35 分 30 秒。還好小哲沒有真的等到隔天再來吃火鍋，不然就餓翻了。

有注意到嗎？1 分鐘是 60 秒，1 小時是 60 分鐘。這跟之前學到的 10 是 10 個 1，100 是 10 個 10 的規則很相似，但一個是**「10 個一數」**，小時和分鐘卻是**「60 個一數」**。每幾個一數，稱之為**「進位」**。日常生活中我們比較常見到的是十進位。

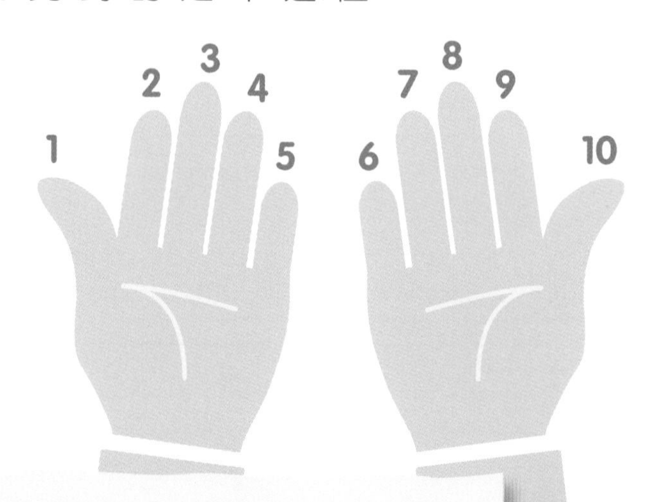

據說我們習慣使用十進位是因為 10 根手指頭。

除了正字記號的五進位、常見的十進位和時間的六十進位，你還有想到別種進位嗎？沒有手指頭可算的電腦，用的是二進位，也就是用0和1來表示所有數字。只要1個數字比1大，就用上兩位數來表示。

十進位	0	1	2	3	5	10	100
二進位	0	1	10	11	101	1010	1100100

二進位 10 → 1×2 + 0×1 = 2（十進位）

二進位 1010 → 1×2×2×2 + 0×2×2 + 1×2 + 0×1 = 10（十進位）

這樣你有稍微了解二進位嗎？最後提到的時間是六十進位，想知道為什麼時間要用六十進位，時間裡又隱藏多少數學知識？那就從下一集找出答案吧。

中國八卦的二進位

二進位可不是在電腦上才有的喔！早在我們老祖宗發明的八卦上就有二進位的概念。

八卦上的8種圖案，分別由一長條和兩短條組成。長條可以視為1，兩短條就是0，就像是二進位一樣。再仔細看，每個掛都有3橫列，每列是長條或兩短條，所以共有2×2×2=8種卦。猜猜看，還有一種六十四卦，它每一個卦有幾條橫列呢？

數感遊戲

不可思議 寶物大搶購

小哲等人會古埃及數字符號後，常故意把數字用埃及符號表示，當作他們 3 人的密碼。這天晚上，小哲夢到自己變成古埃及商人，帶著古埃及寶物來到中國販賣。

「這個面具好漂亮，我要了，你開個價吧。」眼前的中國商人手上拿著好多根短棍子和一塊板子，上面有好幾個空格，寫著「百萬、十萬、萬、千、百、十、一」。

說也奇怪，這商人長得跟白熊好像。小哲開了一個價，商人瞪大眼睛，思考幾秒後拿起短棍子排在板子上，跟小哲確認：「是這麼多錢嗎？」

遊戲道具 請從書末遊戲配件頁自行影印後剪取

❶ 古埃及數字符號 有1到1,000,000等15種符號，每1種各15個。

1 2 3 4 5 6 7 8 9 10 100 1,000 10,000 100,000 1,000,000

❷ 中國算籌板 2 片 其中 1 片殺價用

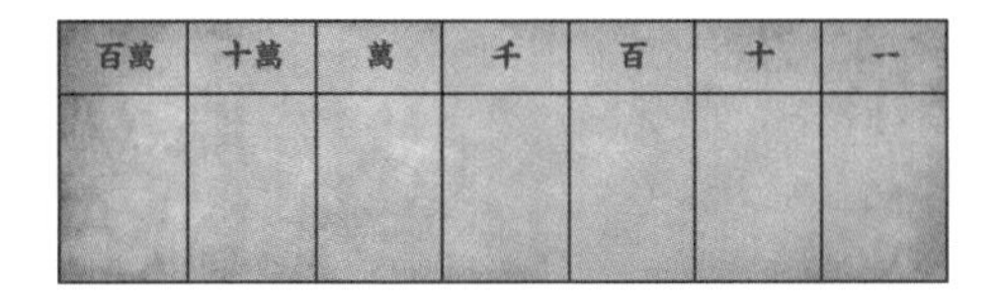

百萬 十萬 萬 千 百 十 一

我要殺價

❸ 算籌 80 片

※ 算籌實際長度約在 8 ～ 14 公分，此處為了道具製作與安全考量，縮短成 4 公分。

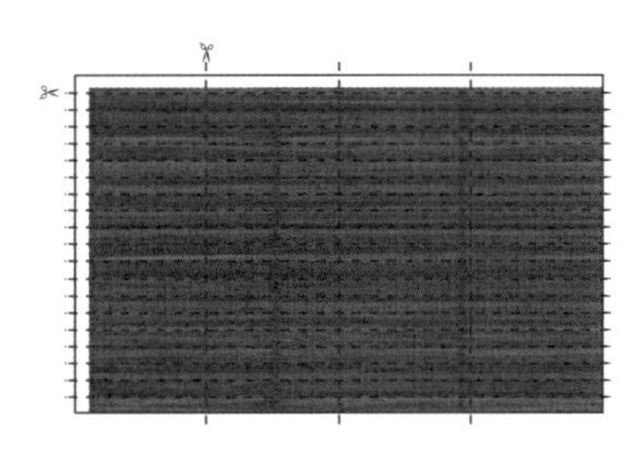

❹ 埃及寶物卡 3 張：黃金面具、人面獅身雕像、金字塔

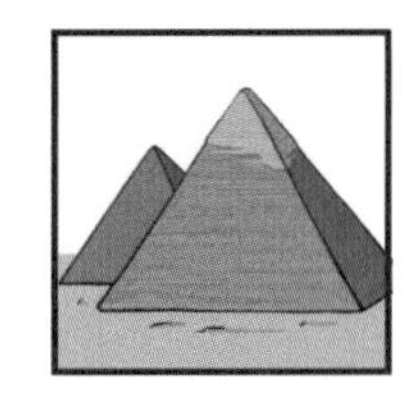

❺ 中國寶物卡 3 張：瓷器、玉珮、青銅器

遊戲玩法 參與人數上限 2 人

❶ 兩人分別扮演古埃及商人跟古中國商人。

❷ 各自把自己 1 項寶物卡標價。

古埃及商人用古埃及數字符號，中國商人用算籌。用算籌表示 0~9 數字的方式如下：

形式＼數字	0	1	2	3	4	5	6	7	8	9
縱式		𝍠	𝍡	𝍢	𝍣	𝍤	𝍥	𝍦	𝍧	𝍨

註：此處為了簡化遊戲，只採用縱式擺法。

❸ 兩人同時出示標價。

先將對方標價正確寫成阿拉伯數字並唸出數字，就可以拿走對方的古物卡。出錯就換人；若是都錯則重新再玩。

❹ 輪到第二、三個寶物時可以加入殺價，規則如下：

在雙方出示標定寶物價格後，用自己的數字符號向對方提出殺價金額（再便宜多少錢？）；只要先將自己被殺價後的價格，正確寫成阿拉伯數字並唸出數字者獲勝，可以改拿走對方的寶物卡。出錯就換人；若是都錯則重新再玩。

注意：殺價金額不能比定價還高。

數感思考

這場買賣遊戲中，使用了古埃及符號、中國算籌表示「多少錢」。各種古埃及符號就像鈔票和錢幣，數一數每種符號各有幾個，再看符號對應的「面額」，就能知道代表的數字。

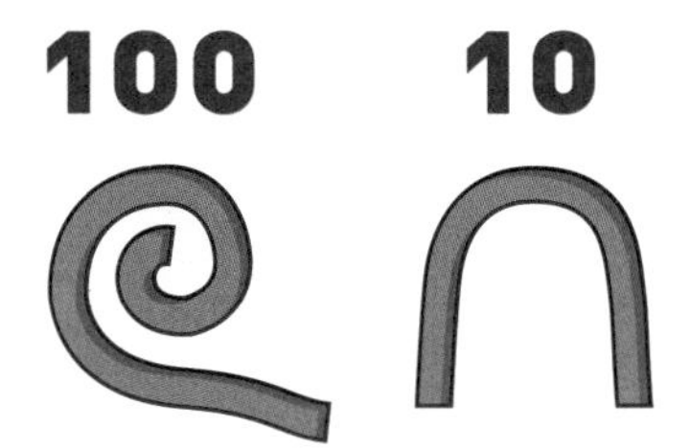

看著這兩個埃及符號，就表示 110。

一模一樣的算籌擺在不同位置，表示有幾個十、幾個百、幾個千、幾個萬，省去記憶各種符號「面額」的麻煩。古人還想到節省算籌的方式：數到 6，直接把一根算籌橫擺當作 5。

6 就是 1 根橫擺的算籌、再加 1 根。

想一想，如果你希望讓對方唸不出你的數字，該怎麼出題呢？「殺價」用到的是減法，怎樣的 2 個數字相減要花比較多時間計算，不小心還會計算錯呢？難得有機會換你當老師出題目考對方，多想一想，不僅能贏得遊戲，之後考試時也能知道，哪邊更該小心喔。

給家長的數感叮嚀

第一集是讓小朋友認識大數字，建立對巨大數量的感覺，對應了3年級的「一萬以內的數」和4年級「一億以內的數」知識點。如果小朋友的四則運算還不熟練，數字一大，運算更容易出錯。再者，大數字不常出現在日常生活中，所以部分小朋友會覺得這個主題比較抽象、不太好學。

本集關於大數字的3大重點是：唸法、比大小、運算。其中運算的部分，直接設計成遊戲，讓小朋友動手操作。家長如果想進一步和孩子互動，建議從這幾個重點下手：最簡單的方式是，找出書中的大數字，請小朋友唸出來，比較數字之間的大小；如果想考考他們，找找有0的大數字，看看他們有沒有把「零」唸出來吧。

歷史上的各種兆

為了讓小朋友覺得大數字有趣、好玩，還有更重要的──讓數學和其他學科跨領域結合，所以書中介紹了古代中國各種巨大數詞。有趣的是，同樣的數詞，在不同朝代有不同的意義，而就能作為家長和小朋友進階討論的話題，像是元代的《算學啟蒙》寫到：「萬萬曰億，萬萬億曰兆……萬萬那由他曰不可思議。」

萬萬曰億，表示1萬個萬叫做億，1後面有4×2＝8個0，跟現代一樣。可是萬萬億曰兆，意思是1萬萬個億才能叫做兆，1兆則相當於「1億億」，1後面有8×2＝16個0。不過1兆應該是1萬個億啊！怎麼變成了1萬萬億呢？由此可知，元朝的1兆可是比現代都大很多。

語文中的數學知識

從上述例子中學到把好幾個數詞疊在一起的說法。運用這個說法，可以問問看小朋友「不可思議」個巧克力相當於1億億……億個巧克力，得重複說幾次「億」呢？答案是8次，1個億有8個0，不可思議有64個0，相當於是8×8，需要8個億串連在一起。雖然沒人這樣說，不過不失為一個活用數詞的練習，從不同角度來理解大數字，對位數也能有更全盤的了解。

位數是數字比大小的關鍵。國中學到的「次方」、「科學記號」都是凸顯位數的表示方法。再之後是指數、對數，則是處理大數字，將運算化繁為簡的的技巧。書中稍微出現次方的概念，但只告訴小朋友次方跟位數的關係，並沒有講出次方實際上是「連乘」的概念，換句話說，10^3＝10×10×10。麻煩家長自行評估，是否要跟小朋友討論到此進階觀念。先前古文的數詞是讓數學跟歷史結合，而這部分則讓小朋友看見數學和國語、英語的關聯。

進位：數字的變裝秀

本集除了大數字，還介紹了學校較少提及的進位——1個數字的各種不同表示法。進位能拓展小朋友對數字的想像空間，各種進位制的換算相當於計算練習，掌握進位後更能把下一集的主題「時間」計算，類推回一般的四則運算。差別只在於四則運算是十進位運算，時間主題使用到六十進位運算。

本集介紹了數種不同進位：故事一開頭的正字記號是5個一數，延伸下去就是五進位。中文的量詞到萬以上，每隔1萬倍才有1個新數詞，萬、億、兆……，可以視為「萬進位」。換句話說，中文數字唸法在萬以下是十進位，到萬以上轉換成萬進位。為什麼會這樣呢？真正原因還不清楚，不過或許萬以下比較常用，因此使用較細膩的十進位；萬以上相對比較少用，不需要記那麼多數詞，則搭配千、百、十，改成萬進位。英文的數詞依循類似的觀念：ten、hundred、thousand的十進位，到千以上轉換成千進位million和Trillion。東、西方的萬進位與千進位，也反應出各自是從「每4位數字」或「每3位數字」加底線或打1個逗點。

數感遊戲小重點

本集設計了一個跨民族的拍賣遊戲，讓小朋友操作不同文化下，用該文化符號表示大數字。跳脫習慣的阿拉伯數字，認識數字的不同樣貌，進而對0～9的阿拉伯數字符號，和十、百、千等位數有更深刻的認識。遊戲選擇了古埃及與中國數字表示法。古埃及需要很多不同的符號；中國算籌只要1種木棍，將不同符號的意義（十、百、千、萬、十萬）隱藏在位置中，簡化了表示法。

常使用的阿拉伯數字則結合符號跟位置。有別於古埃及1用一個符號、10用一個符號；阿拉伯數字製作出0、1、2、3、4、5、6、7、8、9等數字符號，取代原本要擺幾根算籌或幾朵代表1000的埃及符號花，再用位置表示每個符號對應該乘以十、百、千或萬。

這個遊戲讓小朋友從平常的答題者變成「出題者」。兩位小朋友或家長陪同進行數感遊戲時，建議鼓勵小朋友設計出更難的題目來難倒對方。以排數字來說，除了很大的數字外，跳過某些符號或位數，比較難一眼看出來，唸的時候也容易漏掉0，像是402003的難度就比412113高一些。殺價玩法需要用到埃及符號跟中國算籌混合的減法，如果小朋友算錯，可以提示在重算時先換回阿拉伯數字再算。出難題的方面，可以提醒要多出用到「借位」的題目。比方說33－21很簡單，31－23稍微需要想一下；若是101－8，要一次從百位借到個位，就更容易出錯。

闔上第一集，家長可以跟小朋友一起想想：網路上有幾個網站，或是喜歡玩的線上遊戲裡有幾位玩家？當然，天上有幾顆星星？全世界最重的動物有多重？這些經典的問題也不能錯過。查查資料，再用古文或英文的巨大量詞表示。只要認真想，一定可以找到「不可思議」多個的數學話題喔。

數感小學冒險系列套書企劃緣起

國立臺灣師範大學電機工程學系助理教授、
數感實驗室共同創辦人／賴以威

我要向所有關心子女數學教育的家長，認真教學的國小老師脫帽致意，你們在做一件相當不容易的事，因為根據許多國際調查，臺灣學生普遍不喜歡數學、對自己的數學能力沒信心，認為數學一點都不實用。這些對數學的負面情意，不僅讓我們教小朋友數學時得不斷「勉強」他們，許多研究也指出，這些負面情意會讓學習效果大打折扣。

我父親是一位熱心數學教育的國小教師，他希望讓大家覺得數學有趣又實用，教育足跡遍布臺灣。父親過世後，我想延續他的理念，從2011年開始寫書演講，2016年與太太珮妤一起成立「數感實驗室」，舉辦一系列給小學生的數學實驗課，其中有一些受到科技部的支持，得以走入學校。我們自己編寫教材，試著用生活、藝術、人文為題材，讓學生看見數學是怎麼出現在各領域，引發他們對數學的興趣，最後，希望他們能學著活用數學（我們在2018年舉辦的數感盃青少年寫作競賽，就是提供一個活用舞台）。

「看見數學、喜歡數學、活用數學」。這是我心目中對數感的定義。2年來，我們遇到許多學生，有本來就很愛數學；也有的是被爸媽強迫過來，聽到數學就反彈。六、七十場活動下來，我最開心的一點是：周末上午3小時的數學課，我們從來沒看過一位小朋友打瞌睡，還有好幾次被附近辦活動的團體反應可不可以小聲一點。別忘了，我們上的是數學課，是常常上課15分鐘後就有學生被周公抓走的數學課。

可惜的是，我們團隊人力有限，只能讓少數學生參與數學實驗課。於是，我從30多份自製教材中挑選出10個國小數學主題，它們是小學數學的重點，也是我認為與生活息息相關。並在王文華老師妙手生花的創作下，合作誕生這套《數感小學冒險系列套書》。這套書不僅適合中高年級的同學閱讀。我相信就算是國中生、甚至是身為家長與教師的您，也能從中認識到一些數學新觀念。

本套書的寫作宗旨並非是取代學校的數學課本，而是與課本「互補」，將數學埋藏在趣味的故事劇情中，讓讀者體會數學的樂趣與實用。書的故事讓小讀者看到數學有趣生動的一面；「數感百科」則解釋了故事中的數學觀念，發掘不同數學知識之間的連結，和文史藝術的連結；再來的「數感遊戲」延續數學實驗課動手做的精神，透過遊戲與活動，讓小朋友主動探索數學。最後，更深入的數學討論和故事背後的學習脈絡，則放在書末「給家長的數感叮嚀」，讓家長與老師進一步引導小朋友。

過去幾年來，我們對教育有愈來愈多元的想像，認同知識不該只是背誦或計算，而是真正理解和運用知識的「素養教育」。許多老師和家長紛紛投入，開發了很多優秀的教材、教案。希望這套書能成為它們的一分子，得到更多人的使用，也希望它能做為起點，之後能一起設計出更多體現數學之美的書籍與活動。

王文華╳賴以威的數感對談

用語文力和數學力
破解國小數學之壁

不少孩子怕數學，遇到計算題，沒問題。但是碰上應用題，只要題目文字長些、題型多點轉折，他們就亂了。數學閱讀對某些孩子來說像天王山，爬不上去。賴老師，你說說，這該怎麼辦？

這是個很有趣的現象，我們希望小朋友覺得數學實用（小朋友也是這麼希望），但跟現實連結的應用題，卻常常是小朋友最頭痛的地方。我覺得這可能有兩種原因：

① 實用的數學情境需要跨領域知識，也因此它常落在三不管地帶。

② 有些應用題不夠生活化、也不實用，至少無法讓小朋友產生共鳴。

原來如此，難怪我和賴老師在合作這套書的過程，也很像在寫一個超級實用又有趣的數學應用題。不過你寫給我的故事大綱，讀起來像考卷，有很多時候我要改寫成故事時，還要不斷反覆的讀，最後才能弄懂。

呵呵，真不好意思，其實每次寫大綱都想著「這次應該有寫得更清楚了」。你真的非常厲害，把故事寫得精彩，就連數學內涵都能轉化得輕鬆自然。我自己也喜歡寫故事，但看完王老師的故事都有種「還是該讓專業的來」的感嘆。

這並不是賴老師太壞心，也不是我數學不好，而是數學學習和文學閱讀各自本來就是不簡單，兩者加起來又是難上加難，可是數學和語文在生活中本來就分不開。再者，寫的人與讀的人之間也是有著觀感落差，往往陷入一種自以為「就是這麼簡單，你怎麼還不懂」的窘境。

而且賴老師，我跟你說：大人們總是覺得看起來簡單得要命的小學數學，為什麼小孩卻不會？

最大一個原因在於大人忘了他們當年學習的痛苦。

小朋友怎麼從一個具象的物體轉換成抽象的數學呢？

→ 當小朋友看到一條魚（具體）

→ 腦中浮現一隻魚的樣子（一半具體）

→ 眼睛看到有人畫了一條魚（一半抽象）

→ 小朋友能夠理解這是一條魚，並且寫出數字1

大人可以一步到位的1，對年幼的孩子來講，得一步步建構起來。

還有的老師或家長只一昧要求孩子背誦與解題，忽略了學習的樂趣，不斷練習寫考卷。或是題型長一點，孩子就亂算一通。最主要的原因是出在語文能力不足，沒有大量閱讀的基礎，根本無法解決落落長又刁鑽得要命的題型。

以色列理工學院的數學教授阿哈羅尼（Ron Aharoni）提到，一堂數學課應該要有三個過程：從具體出發，畫圖，最後走向抽象。小朋友學習數學的過程非常細微，有很多步驟需要拆解，還要維持興趣。照表操課講完公式定理也是一堂課，但真的要因材施教，好好教會小朋友數學，是一門難度很高的藝術。而且老師也說得沒錯，長題型的題目也需要很好語文理解能力，同時又需要有能力把文字轉譯成數學式子。

確實如此，當我們一直忘記數學就存在生活中，只強調公式背誦與解題策略，讓數學脫離生活，不講道理，孩子自然害怕數學。孩子分披薩，買東西學計算，陪父母去市場，遇到百貨公司打折等。數學如此無所不在，能實實在在跟數量打足交道，最後才把它們變化用數學表達出來。

沒有從事數學推廣前，我也不覺得數學實用、有趣。但這幾年下來，讀了許多科普書、與許多數學學者、老師交流後，我深信數學是非常實用的知識，甚至慢慢具備了如同美感、語感一樣的「數感」。我也希望透過這套作品，想要品味數學的父母與孩子感受到數學那閃閃發亮的光芒，享受它帶來的樂趣。

讓孩子喜歡數學的絕佳解方

臺灣大學電機工程系教授、PaGamO 創辦人／葉丙成

要讓孩子願意學習，最重要的是讓他們覺得學這東西是有用的、有趣的。但很多孩子對數學，往往興趣缺缺。即便數學課本也給了許多生活化例子，卻還是無法提起孩子的學習熱忱。

當我看到文華兄跟以威合作的這套《數感小學冒險系列》，我認為這就是解方！書裡透過幾位孩子主人翁的冒險故事，帶出要讓孩子學習的數學主題。孩子在不知不覺中，隨著主人翁在故事裡遇到的種種挑戰，開始跟主人翁一起算數學。這樣的表現形式，能讓孩子對數學更有興趣、更有感覺！

而且整套書的設計很完整，不是只有故事而已。如果只有故事，孩子可能急著看完冒險故事就結束了，對於數學概念還是沒有學清楚。每本書除了冒險故事外，還有另外對應的數學主題的教學，帶著孩子反思剛才故事中所帶到的數學主題，把整個概念介紹清楚，確保孩子在數學這一部分有掌握這次的主題概念。

更讓我驚豔的，是每本書最後都有一個對應的遊戲。這遊戲可以讓孩子演練剛才所學到的數學主題概念。透過有趣的遊戲，讓孩子可以自發地做練習數學，進而培養孩子的數感。我個人推動遊戲化教育不遺餘力，所以看到《數感小學冒險系列》不是只有冒險故事吸引孩子興趣，還用遊戲化來提昇孩子練習的動機。我真心覺得這套書，有機會讓更多孩子喜歡數學！

用文學腦帶動數學腦，幫孩子先準備不足的先備經驗

彰化原斗國小教師／林怡辰

數學，是一種精準思考的語言，但長期在國小高年級第一教學現場，常發現許多孩子不得其門而入，眉頭深鎖、焦慮恐懼。如果您的孩子也是這樣，那千萬別錯過「數感小學冒險系列」。

由小朋友最愛的王文華老師用有趣濃厚的故事開始，故事因為主角而有生命和情境，再由數感天王賴以威老師在生活中發掘數學，連結生活，發現其實生活處處都是數學，讓我們系統思考、解決問題，再引入教具，光想就血脈賁張。眼前浮現一個個因為太害怕而當機的孩子，看著冰冷數字和題目就逃避的臉孔。喔！迫不及待想介紹他們這套書！

專對中高年級設計，專對孩子最困難的部分，包括國小數學的大數字進位、時間、單位、小數、比與比例、平面、面積和圓、對稱、立體與展開，不但補足了小學數學課程科普書的缺乏，更可貴的是不迴避正面迎擊孩子最痛苦的高階單元。最重要的是，讓喜歡文學的孩子，在閱讀中，連結生活經驗，增加體驗和注意，發現數學處處都是，最後，不害怕、來思考。

常接到許多家長來信詢問，怎麼在學校之餘有系統幫助孩子發展數學運思，以往，我很難有一個具體的答案。現在，一起閱讀這套書、思考這套書、操作這套書，是我現在最好的答案。

從 STEAM 通向「數感」大門！

臺南師範大學附設小學教師／溫美玉

閱讀《數感小學冒險系列》就像進入「旋轉門」，你能想像門一打開，數學會帶你到哪些多變的領域嗎？

數學形象大翻身

相信大部分孩子對數學的印象，都跟這套書的主角小哲剛開始一樣吧？認為數學既困難又無趣，但我相信當讀者閱讀本書，跟著小哲進入「不可思『億』巧克力工廠」、加入「宇宙無敵數學社」後，會慢慢對數學改觀。為什麼呢？因為這本書蘊含「數感」這份寶藏！「數感」讓數學擺脫單純數字間的演練、習題練習，它彷彿翻身被賦予了生命，能在生活、藝術、科學、歷史中處處體會！

未來教育5大元素，「數感」一把抓

以下列舉《數感小學冒險系列》的五大特色：

①「校園故事」串起3人冒險

有故事情節、個性分明的角色，讓故事貼近孩子的生活。

②「實物案例」數學也能在日常生活中刷存在感

許多生活中理所當然的日常用品，都藏有數學的原則。像是鞋子尺寸（單位）、腳踏車前後齒輪轉動（比與比例）等，從中我們會發現人生道路上，數學是你隨時可能撞見的好朋友。

③「創意謎題」點燃孩子求知心

故事中的神祕角色鳳凰露露老師設計了許多任務情境，當中巧妙融入數學概念的精神。藉由解謎過程，能激發孩子對數學概念的思考。

④「數感百科」起源/原理/應用一把罩

從歷史、藝術、工程、科學、數學原理等層面總結概念，推翻數學只是「寫寫算算」的刻板印象。

⑤「數感遊戲」動手玩數學

最後，每單元都附有讓孩子實際操作的遊戲，讓數學理解不再限於寫練習題！

STEAM的最佳代言人！

STEAM是目前國外最夯的教育趨勢，分別含括以下層面：
科學（Science）、科技（Technology）、工程（Engineering）、藝術（Art）以及數學（Mathematics）。但學校的數學課本礙於篇幅，無法將每個數學概念的起源、應用都清楚羅列，使孩子在暖身不足的情況下就得馬上跳入火坑解題，也難怪他們對數學的印象只有滿山滿谷的數字符號及習題。

若要透澈一個概念的發展歷程、概念演進、生活案例，必須查很多資料、耗很多時間，幸虧《數感小學冒險系列》這本「數學救星」出現，把STEAM五層面都萃取出來，絕對適合老師/家長帶領高年級孩子共讀（中、低年級有些概念太難，師長可以介入引導）。以下舉一些書中的例子：

① **科學** Science
「時間」單元的地球自轉、公轉概念。

② **科技** Technology
科技精神涵蓋書中，可以帶著孩子上網連結。

③ **工程** Engineering
「比與比例」單元的腳踏車齒輪原理。

④ **藝術** Art
「比與比例」單元的伊斯蘭窗花、黃金螺旋。

⑤ **數學** Mathematics
為本書的主體重點，包含故事中的謎題任務及各單元末的「數感百科」。

你發現了什麼？畢竟是實體書，因此書中較少提到「科技」層面，我認為這時老師/家長可以進行的協助是：

指導他們以「Google搜尋 / Google地圖」自主活用科技資源，查詢更多補充資料，比如說在「單位」單元，可以進行特定類型物件的重量/長度比較（查詢「大型動物的體重」，並用同一單位比較、排行）；長度/面積單位也可以活用Google地圖，感受熟悉地點間的距離關係。如此一來，讓數學不再單單只是數學，還能從中跨越科目進入自然、社會、資訊場域，這套書對於STEAM或素養教學入門，必定是妙用無窮的工具書。

增加「數學感覺」也是我平常上數學課時的重點，除了照著課本題目教以外，我也會時時在進入課程前期、中期進行提問（例如：「為什麼人類需要小數？它跟整數有什麼不同？可以解決生活中的什麼事情？」。在本書的應用上，可以結合這樣的提問，讓孩子先自己預測，再從書中找答案，最後向師長說明或記錄的評量方式，他們便能印象更鮮明。總而言之，我認為比起計算能力的培養，「數感」才是化解數學噩夢的治本法門，有了正向的「數學感覺」，才有可能點亮孩子對數學（甚至是自然、社會、資訊等）的喜愛，快用《數感小學冒險系列》消弭孩子對數學科的恐懼吧！

數感小學冒險系列

數感遊戲配件1

埃及數字符號紙卡15種，每種15片，共225片。

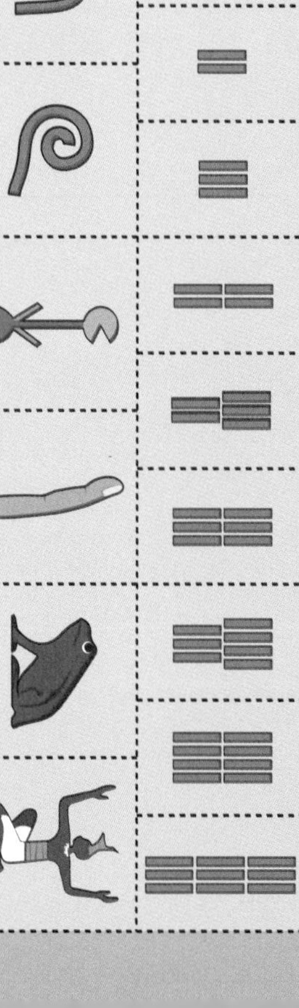

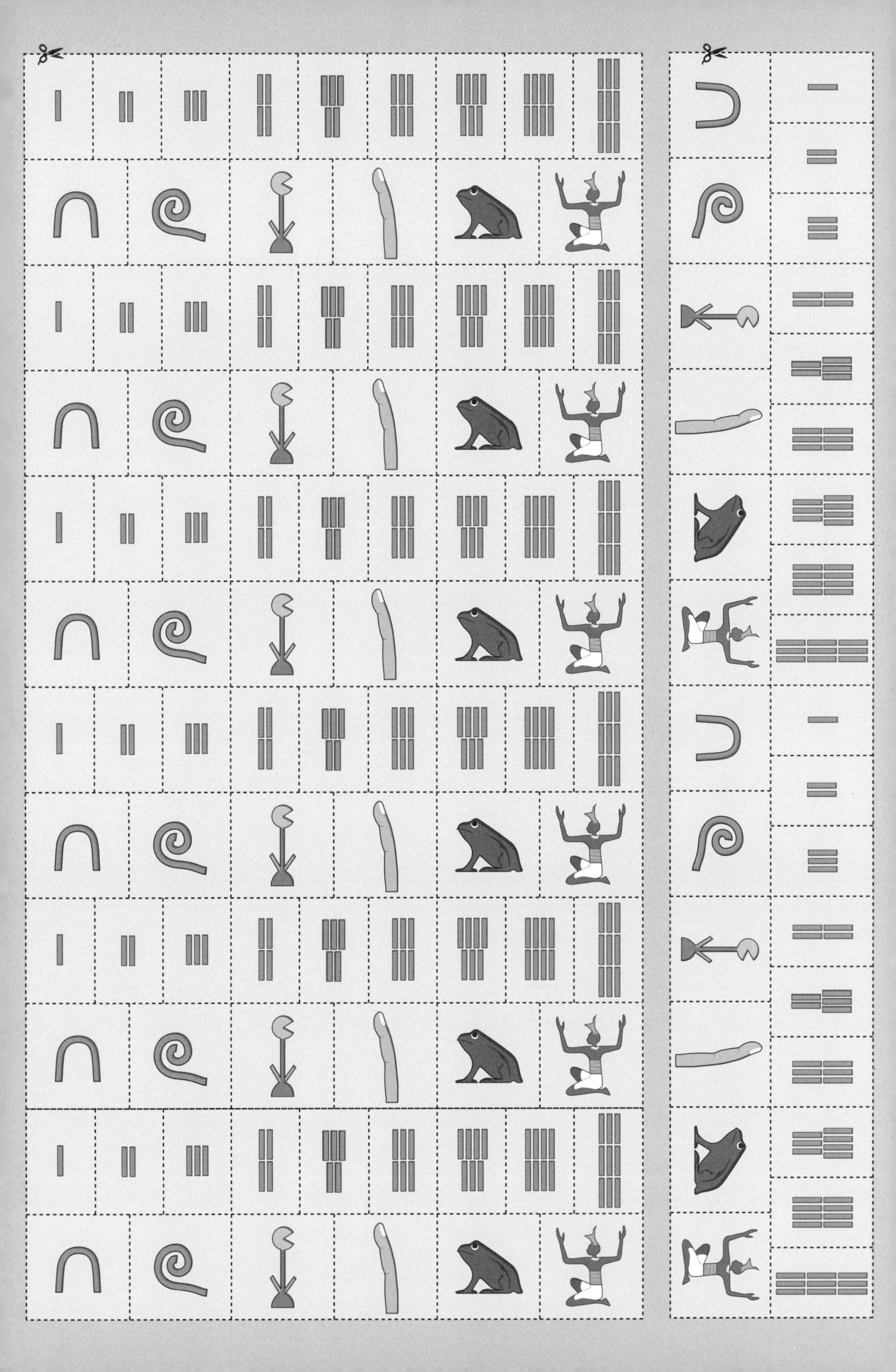

數感小學冒險系列

數感遊戲配件2

中國算籌板2張

一	
十	
百	
千	
萬	
十萬	
百萬	

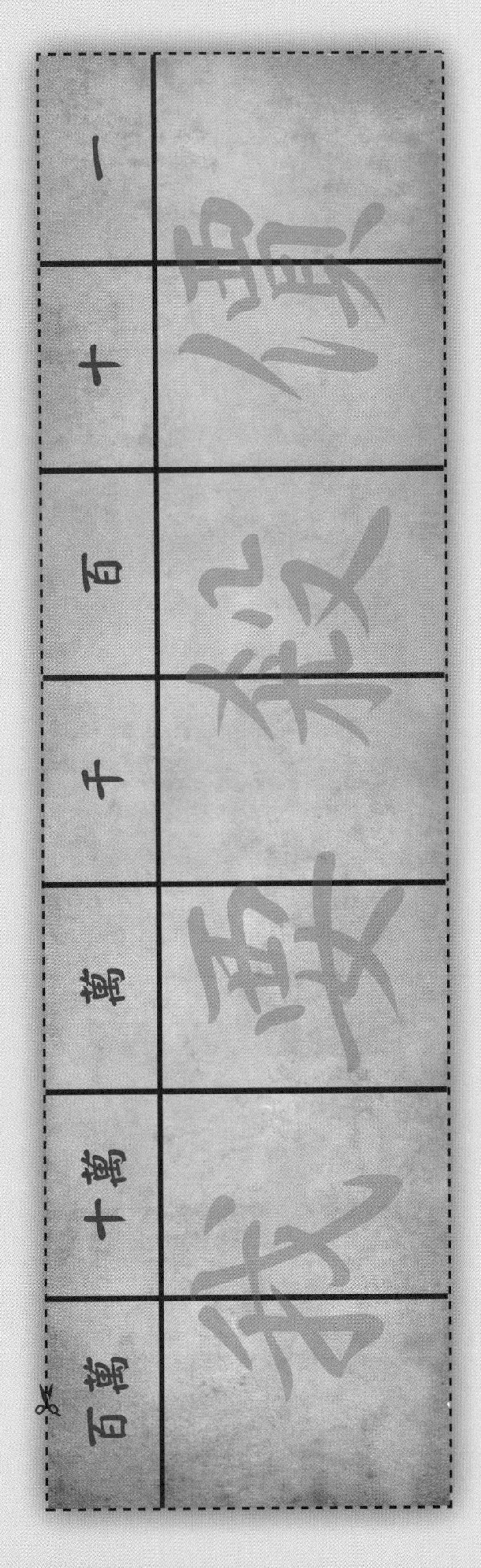
百萬
十萬
萬
千
百
十
一

數感小學冒險系列

數感遊戲配件3

中國算籌卡100張

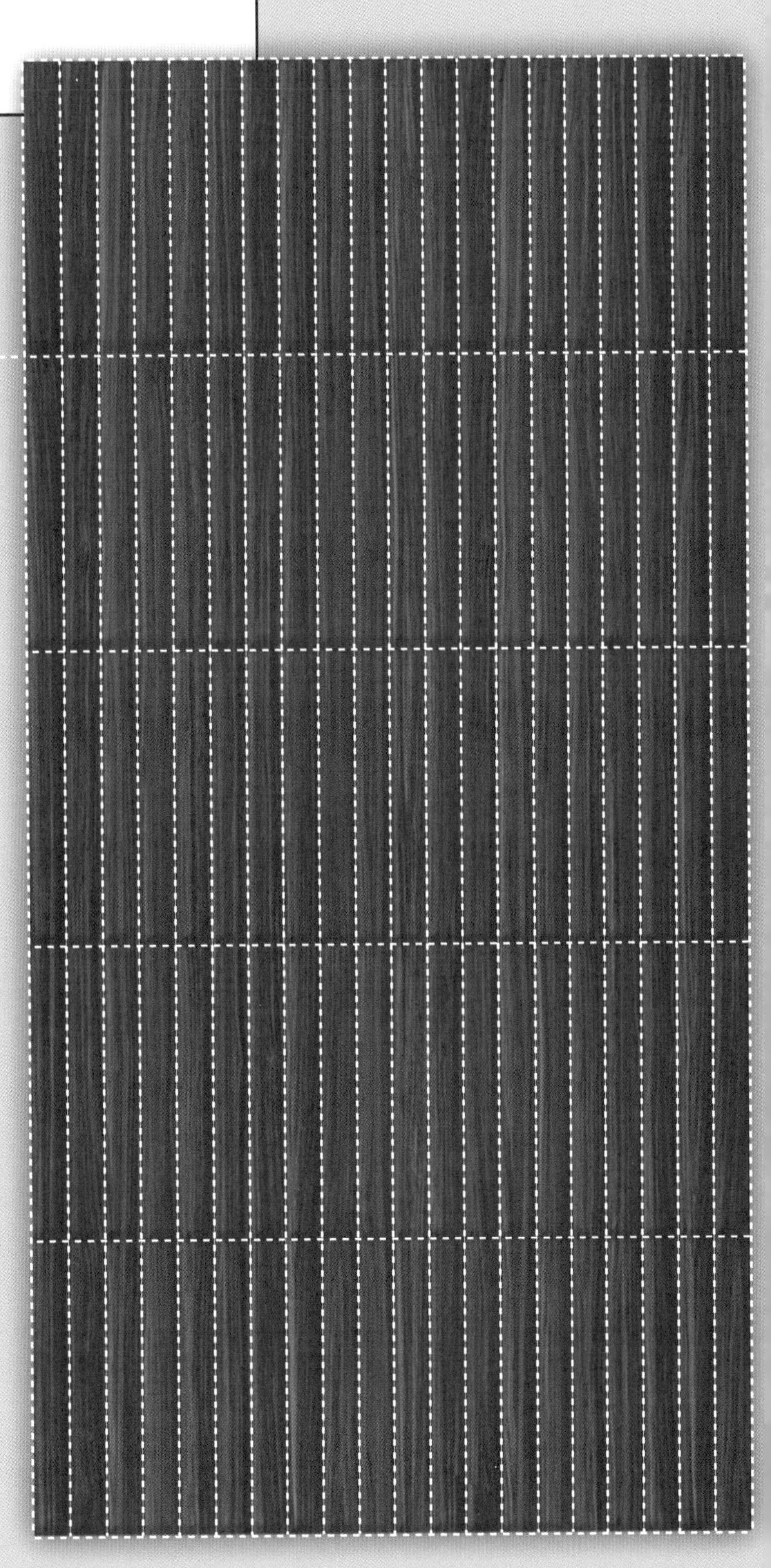

知識讀本館

作者　王文華、賴以威
繪者　BO2、楊容
照片提供　Shutterstock、維基百科

責任編輯　呂育修
文字編輯　高凌華
美術設計　洋蔥設計
行銷企劃　陳雅婷

天下雜誌群創辦人　殷允芃
董事長兼執行長　何琦瑜
媒體暨產品事業群
總經理　游玉雪
副總經理　林彥傑
總編輯　林欣靜
版權主任　何晨瑋、黃微真

出版者　親子天下股份有限公司
地址　台北市 104 建國北路一段 96 號 4 樓
電話　(02) 2509-2800
傳真　(02) 2509-2462
網址　www.parenting.com.tw
讀者服務專線　(02) 2662-0332　週一～週五：09:00 ～ 17:30
讀者服務傳真　(02) 2662-6048
客服信箱　parenting@cw.com.tw
法律顧問　台英國際商務法律事務所・羅明通律師
製版印刷　中原造像股份有限公司
總經銷　大和圖書有限公司 (02) 8990-2588

出版日期　2020 年 4 月第二版第一次印行
　　　　　2023 年 6 月第二版第九次印行
定價　300 元
書號　BKKKC140P
ISBN　978-957-503-573-0 (平裝)

訂購服務
親子天下 Shopping　shopping.parenting.com.tw
海外・大量訂購　parenting@cw.com.tw
書香花園　台北市建國北路二段 6 巷 11 號 (02) 2506-1635
劃撥帳號　50331356 親子天下股份有限公司

國家圖書館出版品預行編目 (CIP) 資料

不可思「億」巧克力工廠 / 王文華, 賴以威作 ; BO2, 楊容圖 . -- 第二版 . -- 臺北市 : 親子天下, 2020.04
面 ;　公分 . -- (數感小學冒險系列 ; 1)

ISBN 978-957-503-573-0(平裝)

1. 數學教育 2. 小學教學

523.32　　109003367

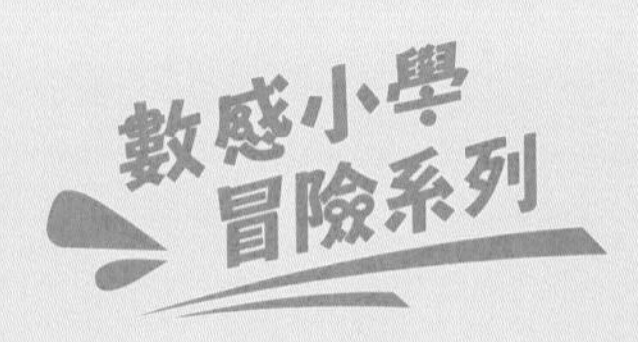

1 不可思「億」巧克力工廠